P. Playa Jeffery

LA DIVINA MISERICORDIA NOVENA

Historia, Coronilla y una Poderosa
Devoción Católica de 9 días para
Obtener de Dios la Misericordia y
el Perdón del pecado

"*Cualquiera que hoy se acerque a la Fuente de la Vida Eterna será bendecido con el perdón total de sus pecados y escapará del castigo*".
Diario de San Faustina Kowalska

Contenido

4

Dedicación

Con gran alegría y amor te dedico este libro. En un mundo lleno de caos e incertidumbre, esta novena es una luz en la oscuridad, compasión y perdón. Es un recordatorio de que, a pesar de nuestras faltas y defectos, todavía somos amados por un Dios amoroso. Espero que al leer estas palabras encuentres paz y consuelo al saber que siempre hay misericordia y perdón para ti. Que la gracia de Dios os toque y os transforme con su amor.

Introducción

¿Alguna vez has sentido que una sola palabra resuena tan profundamente que parecía contener la respuesta a tus oraciones no dichas? Para mí, esa palabra era "divina misericordia". Murmuraba promesas de consuelo, como una lluvia limpiadora que se lleva las cargas y los arrepentimientos. Anhelando comprender esta poderosa devoción, comencé una búsqueda que me llevó a este mismo libro: "La Divina Misericordia Novena

:Historia, Coronilla y una poderosa devoción católica de 9 días".

La Divina Misericordia no es un sentimiento pasajero; es la esencia misma del amor de Dios, un océano infinito de compasión listo para abrazarnos a todos. Este libro se sumerge profundamente en este misterio transfigurador y ofrece no sólo conocimiento sino también una experiencia.

En estas páginas, emprenderá una encantadora aventura a través de la historia de la Divina Misericordia, guiado por las notables visiones de Santa Faustina Kowalska. Aprenderá sobre las profundas promesas que Jesús asoció con la Coronilla de la Divina Misericordia, una hermosa y poderosa oración que incluiremos para su uso diario. Exploraremos la Letanía de la Divina Misericordia, otra herramienta para profundizar su conexión con el abrazo misericordioso de Dios.

Pero esta expedición va más allá de una revolución personal. Esta novena te prepara para convertirte en un conducto de la misericordia de Dios, intercediendo por aquellos que se han desviado del camino. Ya sea que anhele el perdón para usted mismo, la curación de un ser querido o una chispa de fe para alguien alejado de Dios, esta novena proporciona un marco para una oración poderosa. Cada día viene con un tema específico, un pasaje relevante de las Escrituras y un poderoso mensaje de meditación para guiar tu reflexión.

Imagínese ser un puente que conecta a los necesitados con la misericordia ilimitada de Dios. Quizás anhelas la reconciliación con un ser querido, o quizás buscas fuerzas para orar por alguien que duda. Este libro proporciona un marco para una experiencia de oración significativa, una oportunidad no sólo de recibir misericordia sino también de extenderla.

El perdón de Dios no es como el nuestro; es limitado y condicional. Como nos asegura la Biblia en 2 Crónicas 7:14: "Si mi pueblo, sobre el que lleva mi nombre, se humilla, ora, busca mi rostro y se vuelve de sus malos caminos, entonces yo oiré desde el cielo y perdonaré a sus tierra." Acuda a Dios con el corazón abierto y experimente el poder revolucionario de su divina misericordia. Quizás te sorprenda la profundidad de la paz y la curación que te espera, no sólo para ti sino para tus seres queridos. Deja que esta novena sea tu guía a medida que avanzas en un viaje de amor, perdón y misericordia ilimitada.

Consejos prácticos para profundizar su relación con Dios a través de la novena

Su viaje a través de La Divina Misericordia Novena ofrece una poderosa oportunidad para fortalecer su relación con Dios. A continuación se ofrecen algunos consejos prácticos para maximizar esta experiencia:

1. Abraza el poder del silencio: antes de la oración de cada día, busca un espacio tranquilo para reflexionar. Silencia tu teléfono y cualquier distracción. Respire profundamente unas cuantas veces y permítase instalarse en un estado mental de oración.

2. Interactúe activamente con las Escrituras: la novena proporciona pasajes de las Escrituras relevantes para el tema de cada día. No se limite a leerlos pasivamente. Reflexiona sobre los versos. Imagínate en la escena. ¿Cómo se conectan estas palabras con

tu propia vida y la misericordia que buscas?

3. La Coronilla: Una conversación con Dios
La Coronilla de la Divina Misericordia es una hermosa oración que te permite expresar directamente tus necesidades y gratitud a Dios. Reza lenta y pensativamente, meditando el significado de cada frase.

4. Letanía: Un coro de alabanza y petición:
La Letanía de la Divina Misericordia es una herramienta poderosa para profundizar su conexión con los atributos misericordiosos de Dios. Mientras recita cada línea, permítase llenarse de asombro y gratitud por la compasión ilimitada de Dios.

5. Lleva un diario de tu viaje: Después de la oración de cada día, tómate unos momentos para escribir un diario de tus

pensamientos y reflexiones. ¿Qué conocimientos obtuviste? ¿Experimentaste una sensación de paz o perdón? Llevar un diario ayuda a solidificar su experiencia y le permite realizar un seguimiento de su progreso durante los próximos nueve días.

6. Extender la Misericordia más allá de la Novena: La Divina Misericordia Novena es un trampolín para una vida más misericordiosa. Busque oportunidades para extender la misericordia de Dios a los demás a lo largo del día. Ofrezca una mano amiga, practique el perdón y cultive un espíritu de compasión en todas sus interacciones.

Al incorporar estos consejos prácticos, puedes transformar tu experiencia de La Divina Misericordia Novena de una práctica de oración estructurada a una conversación transformadora con Dios, profundizando tu relación y abriéndote a una fuente más profunda de misericordia y gracia.

La Historia de la Divina Misericordia

El mensaje de esperanza

Entre 1930 y 1938, Cristo vino a Sor Faustina (1905-1938), una Hermana de la Misericordia en Polonia, para recordarnos Su amor incluso ante la muerte y Su desilusión hacia nosotros debido a nuestra desconfianza en Su compasión y misericordia. A través de Sor Faustina, Jesús compartió más tarde con la humanidad las dos exquisitas devociones, la Novena a la Divina Misericordia y la Coronilla de la Divina Misericordia.

En los mensajes divinos transmitidos a Sor Faustina, Nuestro Señor hizo una súplica específica, instando a una oración y contemplación dedicadas a Su Pasión cada día a la hora de las tres en punto, momento que solemniza Su crucifixión.

A las tres de la tarde, Jesús le habló a sor Faustina: "Empieza a implorar mi misericordia, especialmente por los pecadores; y, aunque sea por poco tiempo, piérdete en mi pasión, especialmente en mi abandono en la hora de la muerte". angustia." Esta es la hora más misericordiosa. Concederé cualquier petición hecha por cualquier alma en esta hora debido a mi pasión.

Con el comienzo de cada hora que pasa, os imploro fervientemente que invoquéis incesantemente Mi misericordia ilimitada a favor de todos los transgresores; suplicad por una rebosante concesión de bendiciones para facilitar su redención. En el último toque de la hora, suplicad la gracia de Mi verdadero arrepentimiento y contrición en el corazón de cada pecador. Quiero que te des cuenta profundamente de cuán grande es mi misericordia y cuán ansiosa estoy por concederla." Era la hora de la gracia para todo el planeta—la bondad venció a la justicia—y puedes tener todo para ti y para los demás con solo pedirlo. ".

Estas minuciosas pautas hacen muy evidente que nuestro Señor desea que nos centremos en Su pasión a las tres en punto, en la medida que nuestras responsabilidades lo permitan, y que pidamos Su perdón.

Las Visiones de Santa Faustina Kowalska

Helena Kowalska, una adolescente, asistió a un baile en Lodz, Polonia, en 1923. Esa noche, mientras bailaba, un Jesús desnudo y con heridas agonizantes pasó a su lado. "¿Cuánto tiempo seguirás posponiéndome?" Le preguntó a ella. La música se detuvo y todos, excepto Jesús, desaparecieron de la vista.

No fue su primer encuentro sobrenatural. Según sus diarios, escuchó por primera vez la voz de Cristo cuando tenía siete años. Mientras la música se desvanecía suavemente, entró silenciosamente en una majestuosa catedral. Arrodillada ante el intrincado altar, su corazón rebosaba de emociones mientras susurraba sus oraciones en soledad. Una voz le ordenó viajar a Varsovia y entrar en un monasterio. Ella cumplió y partió hacia la metrópoli con una sola prenda de vestir y sin equipaje. Así comenzó su breve carrera como monja, que culminó con su inesperada canonización como Santa Faustina décadas después de su muerte.

Faustina (1905-1938) sufrió visiones fantasmales a lo largo de su vida. En su diario, recuerda varios encuentros con Jesús, Satanás, la Virgen María, demonios y ángeles. Oye con frecuencia la voz de Cristo, que exige toda su devoción a la voluntad de Dios, obediencia a los superiores y una vida de sufrimiento por las almas de los demás.

Otras monjas llamadasella es una engañada, excéntrico, "histérico" y mentalmente inestable. Los lectores modernos también pueden preguntarle si padecía esquizofrenia o depresión grave. Hoy, sin embargo, los católicos de todo el mundo conmemorarán este domingo la Fiesta de la Divina Misericordia, inspirados en las visiones de Faustina.

Desde su canonización en 2000, la fiesta está asociada a la imagen de la Divina Misericordia, de la que también es responsable Faustina.

"La imagen original de la Divina Misericordia: La historia no contada de una obra maestra desconocida", un nuevo documental, se centra en esta imagen. La película, dirigida por Daniel DiSilva, se centra en la historia de una imagen que ha ganado popularidad fuera de su contexto original y su historia temprana.

La imagen surgió de una visión que tuvo Faustina en 1931 mientras residía en un monasterio en Plock, Polonia. En su celda, Faustina vio a Jesús vestido de blanco, como lo describió en su diario: "Una mano levantada en señal de bendición, la otra acariciando el manto a la altura del pecho". "Dos grandes rayos de escarlata y marfil irradiaban desde debajo de la túnica, delicadamente divididos en el pecho". Jesús le ordenó a María que creara esta pintura y la santificara el domingo inicial después de Pascua, que se conocería como la Fiesta de la Misericordia.

Continuó teniendo visiones de Jesús y escuchando su voz, a pesar de experimentar una especie de desesperación espiritual que relataba en sus diarios: "El abismo de mi miseria estaba constantemente ante mis ojos", se lamentó. Con cada paso que daba a la capilla para su ejercicio espiritual, se encontraba envuelta en un implacable reino de tormento y tentación, un ciclo implacable que parecía no conocer respiro". Posteriormente, confesó: "Los recuerdos inquietantes de esa agonizante experiencia le provocan escalofríos. "Mi columna vertebral. Nunca habría imaginado un sufrimiento tan profundo si no lo hubiera presenciado de primera mano".

No encontraría salida a su visión artística hasta 1933, cuando se mudó a un monasterio de Vilnius y comenzó a recibir guía espiritual de un comprensivo sacerdote llamado Michal Sopocko. A diferencia de sus confesores anteriores, Sopocko parecía haber creído en las visiones de Faustina y decidió actuar en consecuencia. La convenció para que colaborara con un pintor polaco llamado Eugeniusz Kazimirowski. El sacerdote, la monja y el artista se reunieron en un taller para trabajar en la imagen, con Sopocko como modelo y Faustina haciendo todo lo posible para expresar su magnífica visión para los hombres.

La obra de arte que se produjo la decepcionó al principio, pero finalmente la vio como el cumplimiento del mandamiento de Dios. Cuando Sopocko bendijo el cuadro el primer domingo después de Pascua en 1935, fue testigo de cómo la figura de Jesús se movía y hacía la señal de la cruz. También se encargaría de realizar reimpresiones a gran escala de la fotografía. Distribuir miles de estas "estampas sagradas" en miniatura sería un paso fatal, dado lo que la historia le deparaba a Vilnius.

Este enfoque es fiel a la visión del mundo de Faustina, pero sólo hasta cierto punto, ya que sus diarios hacen evidente que la compasión divina implica un dolor significativo. Regularmente expresa el deseo de sufrir como sufrió Jesús, viendo sus pruebas como bendiciones. Una vez le pidió a Jesús una espina de su corona, y al día siguiente sintió una espina clavada en su cuero cabelludo, lo que vio como el cumplimiento de su oración y una oportunidad de sufrir por los pecadores.

Su continua abnegación es posiblemente el concepto más difícil de asimilar para los lectores occidentales. Su batalla para sofocar su voluntad, silenciar su boca y limitar su existencia a "la voluntad de Dios" puede parecer extrema y fuera de lugar. Políticamente, puede ser perjudicial. Sin embargo, su pasión se describe de manera tan persistente y vehemente que el escepticismo inicial sobre su salud mental da paso a algo parecido al asombro.

Su existencia enclaustrada y apasionada ha dejado una nueva tradición de culto para el período actual, lo cual es un gran avance. Se puede atribuir a su disposición a sufrir, así como a los acontecimientos históricos y a su conocido cuadro de la Divina Misericordia.

La imagen y el significado de la Divina Misericordia

La Imagen de la Divina Misericordia es un poderoso símbolo de la misericordia y el amor ilimitados de Dios, fundamental para la devoción a la Divina Misericordia. Esta representación de Jesucristo se originó en las visiones de la década de 1930 de Santa Faustina Kowalska, una monja polaca.

La imagen retrata a Jesús con una vestidura blanca radiante, que representa la pureza y la divinidad. Su mano derecha levantada ofrece una bendición, mientras que su mano izquierda toca su pecho, liberando dos rayos de luz:

El Rayo Rojo simboliza la sangre de Cristo, derramada para el perdón de los pecados y fuente de nueva vida.

Rayo Pálido: Representa el agua que fluyó del costado de Cristo después de la Crucifixión, simbolizando el bautismo y el poder limpiador de la misericordia de Dios.

La inscripción debajo de la imagen dice: "Jesús, en Ti confío", una poderosa oración que resume la esencia de la devoción a la Divina Misericordia.

Jesús ordenó a Santa Faustina que pintara esta imagen y la exhibiera en todo el mundo. La imagen sirve como recordatorio de la infinita misericordia de Dios, disponible para todos los que se arrepienten sinceramente y buscan el perdón. Es un faro de esperanza que ofrece consuelo y paz a quienes están agobiados por el pecado y la desesperación.

Entendiendo la Divina Miscericordia

Fundamentos teológicos

La misericordia divina, un concepto central en la teología y la devoción católicas, va más allá del mero perdón de los pecados. Abarca el amor ilimitado, la compasión y la voluntad de Dios de extender su gracia a todos los que la buscan.

Cuando el amor de Dios nos encuentra en medio de nuestro pecado y sufrimiento, se conoce como misericordia divina. En realidad, el amor de Dios por nosotros aquí siempre se manifiesta como misericordia, ya que todos somos pecadores de este lado de la eternidad y el sufrimiento es nuestro destino en la vida. Siempre es el Señor extendiéndose para ayudarnos a los pecadores indefensos, frágiles y quebrantados por compasión. Por lo tanto, en nuestra opinión, cualquier cosa buena que se nos presente es una manifestación de la misericordia divina.

Base bíblica
La Biblia está repleta de referencias a la misericordia de Dios. Desde los Salmos ("El Señor es misericordioso y misericordioso", Salmo 103:8) hasta las parábolas de Jesús (el hijo pródigo, Lucas 15:11-32), las Escrituras resaltan el deseo de Dios de reconciliación y restauración.

Tres aspectos
Mucha gente entiende que la Divina Misericordia tiene tres aspectos interrelacionados:

- Misericordia: la compasión persistente de Dios, incluso hacia los pecadores.
- Compasión: la comprensión y la empatía de Dios por el sufrimiento humano.
- Amor: El amor incondicional de Dios por toda la creación impulsa su deseo por nuestra salvación.

Encontrando la Divina Misericordia
La Divina Misericordia no es sólo un concepto teológico; es una experiencia tangible. Lo

encontramos a través de varias vías: la oración sincera, la recepción de los sacramentos (particularmente la confesión y la Eucaristía) y los actos de caridad hacia los demás. A medida que nos abrimos a la misericordia de Dios, su gracia nos transforma y nos da el poder de extendernos misericordia a nosotros mismos.

Beneficios de abrazar la misericordia
Al abrazar la misericordia divina, recibimos abundantes bendiciones. Fomenta una relación más profunda con Dios, reemplazando el miedo y la desesperación por paz y esperanza. Esta experiencia transformadora motiva actos de amor y compasión hacia los demás, creando un efecto dominó de misericordia en el mundo.

Un mensaje universal
La Divina Misericordia es un mensaje central del cristianismo, que ofrece consuelo y esperanza a todos, independientemente de acciones pasadas o luchas actuales. Es un llamado a confiar en el amor ilimitado de Dios y vivir una vida transformada por misericordia. La Divina Misericordia Novena

sirve como una herramienta poderosa para profundizar en este regalo transformador.

El mensaje de la Divina MiPsericordia

Debido a que tiene un mensaje profético para un determinado período de la historia y emplea hombres y mujeres específicos para difundirlo, Dios ocasionalmente hace apariciones para místicos. En ocasiones, sirve para recordarnos algo que quizás hayamos olvidado. A veces podría ser una advertencia. A veces es un mensaje consolador. O puede ser simplemente un llamamiento a la conversión. Sea lo que sea, la Biblia permanece sin cambios. Más bien, nos lleva a ese momento de la historia.

Entonces, ¿qué mensaje específico y crucial desea Dios transmitirnos a través de Santa Faustina en nuestros días? Fácil. Quiere llamar nuestra atención sobre el tema central de la Sagrada Escritura, que es su bondad hacia nosotros, los pecadores. En realidad, está diciendo: "Ahora es el tiempo de la misericordia" para nosotros, los pecadores. ¡Este es un momento realmente amable! Deseo conceder al género humano particulares e inmensos favores en este momento. Deseo prodigar mi misericordia abundantemente.

¿Por qué Dios diría esto? En nuestros días, ¿por qué desearía otorgar gracias tan vastas? La mejor manera de expresarlo fue la del Beato Juan Pablo II. Primero, destacó un punto del que todos somos conscientes: que nuestra sociedad moderna está llena de bendiciones. Por ejemplo, la tecnología contemporánea ha mejorado enormemente nuestra calidad de vida. Basta considerar el aire acondicionado, los teléfonos móviles, el correo electrónico y los teléfonos inteligentes. Todos estos artículos son regalos para nosotros. A pesar de todos estos beneficios, y tal vez incluso debido a los avances tecnológicos que los generaron, Juan Pablo diría que el mal ahora tiene más influencia y poder que nunca.

Desafortunadamente, vivimos en un período de maldad sin precedentes. Sin embargo, Juan Pablo añadiría: "No temáis". ¿Por qué el miedo no debería existir? Porque, como afirma San Pablo en Romanos, "donde abundó el pecado, sobreabundó la gracia" (5,20). Dicho de otra manera, Dios no es superior al mal. Por lo tanto, Dios desea otorgar bendiciones aún mayores durante un período de enorme maldad, y estos días son especialmente ricos en gracia debido a la abundancia del pecado.

Breve Biografía de Santa María Faustina

(25 de agosto de 1905 – 5 de octubre de 1938)

Santa María Faustina Kowalska, apóstol de la Divina Misericordia, es actualmente considerada una de las santas más famosas y conocidas de la Iglesia.

A través de María, el Señor Jesús comunica al mundo el mensaje profundo de la bondad de Dios y presenta el modelo de perfección cristiana basada en la fe en Dios y en una actitud misericordiosa hacia el prójimo.

Sor Faustina nació el 25 de agosto de 1905 en Glogowiec, Polonia, en una familia campesina empobrecida y piadosa, la tercera de diez hijos. Helena fue bautizada en la iglesia parroquial de Swinice Warckie. Destacó desde pequeña por su amor a la oración,mano de obray obediencia, así como su preocupación por los necesitados. A los siete años intuyó los inicios de una vocación religiosa. Helena recibió su primera Comunión a la edad de nueve años, lo que marcó un hito en su comprensión de la presencia del Divino Invitado dentro de su alma. Sólo asistió a la escuela durante tres semestres. Tenía la intención de ingresar al convento después de graduarse de la escuela, pero sus padres se negaron. A los 16 años, Helen dejó su casa y se convirtió en ama de llaves en Aleksandrów, Lodi y Ostrówek, manteniéndose a sí misma y a sus padres.

Secretario de la Misericordia de Dios

El Señor Jesús nombró a Santa María Faustina como Apóstol y "Secretaria" de Su Misericordia, para que difundiera Su tremendo mensaje, el cual documentó en un diario titulado La Divina Misericordia en Mi Alma. En la Antigua Alianza, Él le dice:

"Envié profetas con rayos a mi pueblo. Hoy os envío al mundo entero con mi bondad. No pretendo castigar a la humanidad que sufre, sino sanarla presionándola contra Mi Corazón Misericordioso." (Diario, 1588).

La obra de Sor María Faustina ilumina de manera única el misterio de la Divina Misericordia. Atrae tanto a los simples como a los desinformados, así como a los expertos que lo ven como una fuente adicional de investigación teológica. Se han traducido más de 20 idiomas, incluidos inglés, alemán, italiano, español, francés, portugués, árabe, ruso, húngaro, checo, eslovaco, polaco, castellano, brasileño, vietnamita, coreano, chino, sueco, ucraniano, holandés y japonés. el diario.

Sor María Faustina murió en Cracovia el 5 de octubre de 1938, a la edad de 33 años, tras ser consumida por la tuberculosis y un sinfín de aflicciones que aceptó como un sacrificio voluntario por los pecadores. Era conocida por su madurez espiritual y su conexión mística con Dios. La reputación de su santidad se desarrolló, al igual que el culto a la Divina Misericordia y las bendiciones que recibía de Dios por su intercesión. El proceso de investigación sobre su vida y cualidades heroicas se llevó a cabo en Cracovia entre

1965 y 1967, y el proceso de beatificación se inició en Roma en 1968. Este último concluyó en diciembre de 1992.

El 18 de abril de 1993, nuestro Santo Padre, el Papa Juan Pablo II, elevó a los altares a Santa Faustina. Su canonización tuvo lugar el 30 de abril de 2000. El Santuario de la Divina Misericordia en Cracovia-Lagiewniki alberga los huesos de Santa María Faustina.

Rezar la Coronilla de la Divina Misericordia

La Coronilla de la Divina Misericordia, una hermosa oración, es el punto focal de La Divina Misericordia Novena

. Santa Faustina Kowalska nos confió esta oración repetitiva, permitiéndonos contemplar la misericordia de Dios y experimentar su poder transformador. Aquí hay una guía paso a paso:

Preparación

- Reúne tus materiales: Un rosario con cinco cuentas grandes (Padre Nuestros), cuatro juegos de diez cuentas pequeñas (Avemarías) y un crucifijo. Alternativamente, se puede utilizar una coronilla diseñada específicamente para la devoción a la Divina Misericordia.

- Céntrate: Tómese unos momentos de tranquilidad para concentrarse en la presencia de Dios y su intención al rezar la Coronilla.

Rezar la Coronilla
1. Apertura: Haga la Señal de la Cruz y recite "Padre Nuestro", "Ave María" y "Gloria".

2. En las Cuentas Grandes (5 veces): Recita: "Querido Padre Celestial, te ofrezco el precioso regalo de Tu amado Hijo, Jesucristo: Su sagrado Cuerpo, Su Sangre vivificante, Su Alma eterna y Su divina Divinidad. A través de Con esta ofrenda, busco el perdón de nuestros pecados y de los pecados de toda la humanidad.

3. En las cuentas pequeñas (10 veces después de cada cuenta grande): Recita: "Por su dolorosa pasión, ten piedad de nosotros y del mundo entero".

4. Oraciones finales: Durante el último conjunto de cuentas pequeñas, repita la siguiente oración tres veces: "Divino Dios, Poderoso e Inmortal, colma a nosotros y al mundo entero con Tu misericordia".

Opcional: Concluya con una oración final como "Dios Eterno, en quien la misericordia es infinita".

Consejos para una oración significativa

1. Concéntrate en el significado: mientras recitas las oraciones, contempla la profundidad de la misericordia de Dios y el sacrificio de Jesucristo.

2. Vaya a su propio ritmo: no se apresure a rezar la Coronilla. Permita tiempo para la reflexión y la conexión con el amor de Dios.

3. Repita diariamente: La coronilla es más poderosa cuando se reza constantemente. Esta Novena te anima a rezar cada nueve días consecutivos.

Si sigue estos pasos y se involucra con el significado de la oración, podrá experimentar el poder transformador de la Coronilla de la Divina Misericordia.

Promesas que hizo Jesús al rezar la Coronilla de la Divina Misericordia

(Diario de Santa Faustina)
Durante una experiencia privada en 1935, Jesús otorgó a Santa Faustina la Coronilla de la Divina Misericordia. Pide que reflexionemos sobre su pasión a las 15 horas, hora en la que murió en la cruz.

Nuestro Señor también hizo más promesas a quienes recitaban la Coronilla de la Divina Misericordia. Cristo hizo estas 14 magníficas promesas, y cuando recites esta coronilla a lo largo de esta novena, tus peticiones y respuestas se harán realidad.

- *"Aseguro que el espíritu que honra esta imagen (de la Divina Misericordia) nunca se desvanecerá. También prometo la victoria contra sus enemigos en la Tierra, particularmente en la hora de la muerte. Lo protegeré en mi propiahonor."*

- *"Los dos rayos representan la sangre y el agua... Cuando una lanza atravesó mi corazón agonizante en la cruz, estos dos rayos brillaron desde lo más profundo de mi dulce misericordia. Estos rayos protegen a las almas de la ira de Mi Padre. Propongo hacer el primer domingo siguiente Pascua de Resurrección, Fiesta de la Misericordia. Quienes se acerquen en este día a la Fuente de la Vida recibirán el perdón total de los pecados y de los castigos. "La humanidad no tendrá paz hasta que confíe en Mi misericordia".*

- *"Observemos con gran reverencia la Fiesta de la Misericordia el primer domingo después de Pascua". "El alma que se confiesa y participa de la Sagrada Comunión (mientras se encuentre en estado de gracia en este día) obtendrá pleno perdón de los pecados y de sus consecuencias"*

- *"En el momento del fin de la vida, las personas que pronuncien estas palabras recibirán una compasión ilimitada".*

- *"Como último faro de salvación, los sacerdotes la extenderán a aquellos agobiados por transgresiones. Incluso el pecador más empedernido puede obtener la gracia de Mi gran misericordia recitando esta coronilla una vez. Quiero dar regalos inconcebibles a aquellos que creen en mi bondad. "*

- *"Quienes recen fielmente esta coronilla, especialmente en sus momentos finales, experimentarán el consuelo de mi infinita compasión".*

- *"Aquellos que difunden lahonor de Mi misericordia... En la hora de la muerte, seré el misericordiososalvador en lugar de un juez para ellos".*

- *"Mifavorito la oración es para que los pecadores se conviertan. Ten la seguridad, mi querida hija, de que siempre escucharemos y responderemos a tus oraciones".*

- *"Ofrezco compasión que no conoce límites, abrazando todas las* transgresiones con comprensión ilimitada".

- "Los sacerdotes que elevan y proclaman Mi misericordia recibirán una fuerza excepcional; bendeciré su mensaje y conmoveré los corazones de su audiencia".

- "A través de esta coronilla obtendrás todo lo que se alinee con Mi voluntad".

- "Cuando los pecadores inflexibles lo reciten, llenaré sus almas de tranquilidad, y su hora final será de alegría".

- "Cuando sea pronunciado en presencia de los moribundos, intercederé entre Mi Padre y el alma que parte, no como un juez estricto sino como un salvador misericordioso".

- "A la hora de las tres, buscad Mi misericordia, especialmente para aquellos que se han extraviado; una breve conexión con Mi dolor, particularmente durante Mis momentos *más angustiantes, no será sin propósito. No rechazaré a ningún alma que Me invoque en el nombre de Mi sufrimiento".*

Entendiendo la Divina Misericordia Novena

La Divina Misericordia Novena no se trata sólo de buscar el perdón personal; es un poderoso acto de intercesión por los demás. A lo largo de los nueve días, sus oraciones se extienden más allá de sus propias necesidades y abarcan a una amplia gama de personas.

Intercediendo por todos

La Novena se desarrolla diariamente, centrándose en un grupo específico. El primer día se reza por "toda la humanidad, especialmente los pecadores". Esto amplía tu perspectiva y te anima a orar no sólo por ti mismo sino también por aquellos que luchan contra el pecado a nivel mundial. La misericordia de Dios es inmensa y, a través de tus oraciones, te conviertes en un conducto para que su gracia llegue a otros.

Satisfacer diversas necesidades

A medida que avanza la Novena, vuestras oraciones abarcan varios grupos: sacerdotes y religiosos, fieles, aquellos que aún no han encontrado la fe e incluso aquellos que se han alejado de la Iglesia. Oras por su bienestar espiritual, fortaleza, guía y una conexión renovada con Dios.

Orando por los vulnerables
La Novena también destaca a los vulnerables: los mansos, los humildes y los niños. Sus oraciones se convierten en un escudo de protección, buscando las bendiciones de Dios y el cuidado atento de estas almas inocentes.

Celebrando y apoyando
Dedicamos días a honrar la Divina Misericordia y las almas del Purgatorio. Aquí usted expresa gratitud por aquellos que difunden activamente el mensaje de misericordia y ora por su continuo crecimiento en la fe. Intercedes también por las almas en proceso de purificación, pidiendo a Dios que les conceda un rápido paso al cielo.

Reavivar la llama
El último día se centra en las "almas tibias", aquellas cuya fe se ha debilitado. Te conviertes en un puente entre ellos y la misericordia de Dios, orando por una devoción reavivada y una cercanía renovada a lo divino.

Más allá del perdón personal
La Divina Misericordia Novena

ofrece una profunda oportunidad para expandir sus oraciones más allá de sus propias necesidades. Al interceder por estos diversos grupos, participas en un poderoso acto de gracia colectiva, extendiendo la misericordia de Dios a un mundo más amplio.

El significado de la novena

El término "novena" tiene sus raíces en el idioma latino, donde significa "nueve cada una". Una novena se refiere a un período de oración o Santa Misa que se observa durante nueve días consecutivos.

En el contexto bíblico, la práctica de las novenas se remonta a los nueve días de oración que preceden al día de Pentecostés. Después de la Ascensión, los apóstoles y discípulos, obedeciendo las instrucciones del Señor, se reunieron en el cenáculo. Junto con María, la Madre de Jesús, se dedicaron a la oración incesante (Hechos 1,4-5).

Estos nueve días de oración también pueden verse como una representación de los nueve meses que pasó Jesús en el vientre de María. Así como Jesús, nuestra Cabeza, nació de María y del Espíritu Santo, nosotros, como Su Cuerpo, también estamos llamados a nacer de ellos. Los nueve días de oración actuaron como un período de gestación que condujo al nacimiento de la iglesia el día de Pentecostés.

En consecuencia, cada novena puede verse como un tiempo de gestación espiritual antes de una nueva efusión del Espíritu Santo. Este entendimiento resalta la importancia de la novena como un tiempo dedicado a la preparación y anticipación de la obra del Espíritu Santo en nuestras vidas. Al participar en una novena, nos alineamos con el ritmo espiritual de la gestación, esperando el nacimiento de la gracia, la guía y el poder transformador de Dios.

Que la práctica de las novenas sirva como recordatorio de nuestra conexión con los primeros discípulos y sus fervientes oraciones, y que nos inspire a cultivar una devoción similar y una apertura al movimiento del Espíritu Santo en nuestras vidas.

Oración perseverante

Las novenas sirven como práctica de oración persistente. Jesús mismo nos animó a pedir, buscar y llamar continuamente para nuestras necesidades (Lucas 11:10). Proporcionó poderosos ejemplos del valor de la perseverancia en la oración, como la viuda persistente que suplicó al juez (Lucas 18:1-8) y el hombre que despertó a su vecino en medio de la noche para pedirle pan (Lucas 11:5). –9).

La vida de Santa Faustina también ofrece una convincente demostración de perseverancia en la oración. Las novenas ocuparon un lugar significativo y regular en su camino espiritual. Realizó varios tipos de novenas para diferentes necesidades, acercándose a ellas con oración intensa e inquebrantable.

También para nosotros, las novenas pueden convertirse en períodos dedicados a la oración perseverante, centrándose en intenciones específicas y preparando nuestros corazones para celebraciones o fiestas significativas. A través de las novenas, podemos expresar más eficazmente nuestra gratitud por la respuesta de Dios a nuestras necesidades, cualesquiera que sean, mientras profundizamos nuestra confianza en el Señor Jesús.

El poder de las Novenas en la Tradición Católica

Las novenas ocupan un lugar especial en la espiritualidad católica y sirven como una tradición poderosa y consagrada de buscar la intercesión y las bendiciones de los santos, incluida la Santísima Virgen María. Una novena es un período de nueve días de oración y devoción, a menudo centrado en una intención o petición específica. La práctica de las novenas está profundamente arraigada en la creencia de que, a través de la oración constante y ferviente, las personas pueden buscar la intercesión de los santos y acercarse a Dios.

Uno de los aspectos más significativos de las novenas es el sentido de continuidad y perseverancia en la oración. Al comprometerse a orar durante nueve días consecutivos, las personas demuestran su fe inquebrantable y su dedicación a su intención o petición. Este período sostenido de oración permite una reflexión profunda, un crecimiento espiritual y un sentido de conexión con lo divino.

Las novenas suelen centrarse en santos o figuras religiosas específicas, como Nuestra Señora de Guadalupe, San Judas o Santa Teresa de Lisieux. Cada novena tiene su propio significado y simbolismo espiritual únicos, que reflejan las diversas tradiciones y devociones dentro de la fe católica.

El poder de las novenas radica en su capacidad de fomentar una relación más profunda con lo divino y los santos. A través de la oración y la meditación constantes, las personas pueden cultivar un sentido de cercanía espiritual e intimidad con los santos, buscando su guía, protección e intercesión en momentos de necesidad.

Las novenas también proporcionan un marco estructurado e intencional para la oración, ofreciendo un sentido de disciplina y enfoque en la práctica espiritual. Este período dedicado de oración permite a las personas reservar tiempo cada día para la reflexión, la contemplación y la comunión con lo divino, fomentando un sentido de disciplina y crecimiento espiritual.

Las oraciones de la novena de nueve días

Día Uno: Misericordia para toda la Humanidad

En el nombre del Padre, del Hijo y del Espíritu Santo. Amén.

Mensaje de apertura

"Reúneme a todos ahora, especialmente a aquellos que se han equivocado, y sumérgelos en el océano de Mi misericordia. Podrás consolarme de esta manera mientras me aflijo profundamente por la muerte de las almas".

Meditación

Cierra los ojos e imagina un océano ilimitado de la misericordia de Dios. Choca contra las costas de los continentes y lame suavemente cada puerta. Hoy te conviertes en un recipiente que lleva esta misericordia a un mundo que anhela consuelo. Orad por toda la humanidad, por los perdidos en la oscuridad y por los que buscan el perdón. Deja que tu corazón resuene: "Ten piedad de todos nosotros, Señor, y perdona nuestras faltas".

Sagrada Escritura:"Pero tú, oh Señor, muestra misericordia y bondad, paciente en la ira, rebosante de amor y de verdad". Salmo 86:15.

Oración

Jesús, el Misericordioso, no mira nuestras transgresiones sino más bien nuestra confianza en Tu misericordia infinita. Es tu propia naturaleza tener compasión de nosotros y perdonarnos. Acéptanos a todos en la presencia de Tu Amabilísimo Corazón y no nos permitas salir de él. Por Tu amor, que Te conecta con el Padre y el Espíritu Santo, te lo rogamos.

Padre Eterno, proyecta Tu luz amorosa sobre todos los que habitan la tierra, pero especialmente sobre los desdichados pecadores que están todos encerrados en el Compasivo Corazón de Jesús. Muéstranos tu bondad a la luz de su triste pasión para que podamos darte gracias por tu infinita caridad por siempre. Amén.

Recitemos ahora:

En el nombre del Padre, del Hijo y del Espíritu Santo. Amén.

Rezar la Coronilla de la Divina Misericordia

Día Dos - Intercediendo por Sacerdotes y Religiosos

En el nombre del Padre, del Hijo y del Espíritu Santo. Amén.

Mensaje de apertura

"Traedme hoy las almas de los sacerdotes y religiosos, y báñalas en Mi bondad ilimitada. Ellos fueron quienes me dieron el valor para soportar mi terrible pasión. Mi bondad llega a la humanidad a través de ellos, como a través de canales".

Meditación

Imagínese el compromiso inquebrantable de los sacerdotes y líderes religiosos, los faros que nos guían a través de las tormentas de la vida.

Sobre sus hombros llevan el peso de innumerables almas. Hoy intercede por ellos.

Oren por su fuerza espiritual, por una fe decidida ante la duda y por la claridad para guiar a otros hacia la misericordia de Dios. Ruega al Señor: "Señor, ten piedad de tus sacerdotes y religiosos, y concédeles fuerza para guiar a tu rebaño".

Sagrada Escritura: "Os proporcionaré pastores por mi propia voluntad, quienes os guiarán con profunda sabiduría y amplio discernimiento". Jeremías 3:15.

Oración

Todo lo bueno viene de Jesús Misericordioso. Aumenta Tu favor en los hombres y mujeres dedicados a Tu servicio para que realicen obras de bondad merecedoras y para que todo aquel que las presencie pueda exaltar al Padre celestial de bondad.

Padre de todos, echa tus ojos misericordiosos sobre las almas de los sacerdotes y religiosos, los que están entre tus elegidos en tu viña; concédeles el poder de tu bendición. Por amor del corazón de Tu Hijo, donde están envueltos, dales Tu luz y poder para que puedan llevar a otros a la redención y cantar por toda la eternidad con una sola voz en adoración de Tu compasión ilimitada.

Amén.

Recitemos ahora:

En el nombre del Padre, del Hijo y del Espíritu Santo. Amén.

Rezar la Coronilla de la Divina Misericordia

Día Tres- Devoción por las Almas Fieles

En el nombre del Padre, del Hijo y del Espíritu Santo. Amén.

Mensaje de apertura

"Reúneme hoy almas devotas y sumérgelas en el océano de Mi gracia ilimitada. En el vía crucis, estas personas me consolaron. En medio de un océano de resentimiento, sirvieron como un rayo de esperanza".

Meditación

Mire a su alrededor: innumerables personas caminan por la vida con silenciosa fortaleza y su fe es un faro constante. Son testimonios del poder revolucionario del amor de Dios. Hoy, expresa gratitud. Ofrezca oraciones de acción de gracias por su firme devoción y por la luz que comparten con el mundo. Que su dedicación inspire tu propio viaje. Susurra una oración: "Ten piedad de las almas fieles, Señor, y bendícelas por su decidida devoción".

Sagrada Escritura:"Que el amor y la fidelidad nunca te abandonen; átalos a tu cuello; escríbelos en la tabla de tu corazón". Proverbios 3:3."

Oración

Jesús, el Misericordioso, concede a todos una profusión de regalos de su depósito de bondad. Acéptanos en la morada de Tu Amabilísimo Corazón y no nos dejes ir jamás. Te imploramos esta gracia a través de Tu increíble amor, que arde tan intensamente en Tu corazón, por el Padre celestial.

Padre Todopoderoso, dirige Tus ojos bondadosos sobre los espíritus obedientes, tal como lo harías con la herencia de Tu Hijo.

Dales Tu favor y envuélvelos en Tu protección eterna por la causa de Su pasión devastadora.

Que así ellos, junto con todos los ejércitos de ángeles y santos, ensalcen Tu bondad ilimitada a lo largo de los siglos, y que nunca desfallezcan en el amor ni pierdan el tesoro de la santa fe. Amén.

Recitemos ahora:
En el nombre del Padre, del Hijo y del Espíritu Santo. Amén.

Rezar la Coronilla de la Divina Misericordia

Día Cuatro: Orando por los incrédulos y los buscadores

En el nombre del Padre, del Hijo y del Espíritu Santo. Amén.

Mensaje de apertura

"Traedme ahora a aquellos que no Me conocen y no creen en Dios; estuve pensando en ellos durante mi pasión agotadora, y su fervor por el futuro alivió mi corazón. Sumérgelos en el océano de Mi misericordia".

Meditación

Hay quienes aún no han encontrado la luz de la fe y hay quienes no conocen a Dios. Quizás se enfrentan a preguntas sin respuesta o no han encontrado un camino que resuene en su alma. Hoy,convertirse un puente. Oren para que la gracia de Dios toque sus corazones y para que una chispa de misericordia divina encienda el anhelo de algo más grande. Ruega al Señor: "Ten piedad de aquellos que no han encontrado la fe, Señor, y guíalos hacia tu abrazo amoroso".

Sagrada Escritura:"Pedid y se os dará; buscad y encontraréis; llamad y se os abrirá." Mateo 7:7.

Oración

Jesús, la luz del mundo, tú eres el más solidario. Acepta las almas de aquellos que aún no Te conocen y de aquellos que no creen en Dios en el hogar de Tu Compasivo Corazón.

Permite que la luz de Tu gracia brille sobre ellos, para que ellos también puedan proclamar Tu asombrosa compasión con nosotros. Y evita que abandonen la morada de Tu Compasidísimo Corazón.

Padre de todos, arroja tu luz de gracia sobre las almas de aquellos que no creen en ti y de aquellos que están en el compasivo Corazón de Jesús pero aún no te conocen. Guíalos a la luz del evangelio. Estos espíritus desconocen la inmensa alegría que surge de amarte. Permíteles proclamar por toda la eternidad la generosidad ilimitada de tu bondad.

Amén.

Recitemos ahora:
En el nombre del Padre, del Hijo y del Espíritu Santo. Amén.

Rezar la Coronilla de la Divina Misericordia

Día cinco: desertores de la iglesia

En el nombre del Padre, del Hijo y del Espíritu Santo. Amén.

Mensaje de apertura

"Hoy, reúne hacia Mí a las almas descarriadas que se han extraviado de Mi Iglesia, y deja que Mi misericordia ilimitada las envuelva. Fueron divididas entre Mi Cuerpo y Corazón, y Mi Iglesia, durante Mi Pasión agonizante. Mi pasión disminuye cuando se reúnen. con la iglesia y permitir que mis heridas sanen."

Meditación

Algunos se han desviado de la iglesia y su conexión con Dios se ha debilitado. Quizás las cargas de la vida los agobiaron o las dudas nublaron su camino. Hoy, extiende una mano de esperanza. Oren por su reconciliación con la iglesia, por un suave empujón que los guíe de regreso al calor del amor de Dios. Ora: "Ten piedad de aquellos que se han separado de la Iglesia, Señor, y condúcelos de regreso a tu amorosa comunidad".

Sagrada Escritura:"Buscad que hay un solo cuerpo y un solo Espíritu, así como fuisteis convocados a una sola esperanza en vuestra vocación." Efesios 4:4.

Oración

Jesús, el Misericordioso, no niega a quienes la piden la luz, que es la bondad misma. Acepta las almas de aquellos que han abandonado a Tu Iglesia en el santuario de Tu Compasidísimo Corazón. Guíalos con Tu luz hacia la unidad de la iglesia y evita que abandonen la morada de Tu Compasivo Corazón. En cambio, haz que lleguen a exaltar los actos ilimitados de tu bondad.

Padre de misericordias, echa Tus ojos compasivos sobre las almas de aquellos que han abandonado la Iglesia de Tu Hijo, que han abusado de Tus favores y han desperdiciado Tus dones al continuar inflexiblemente en sus pecados. Dado que ellos también están incluidos dentro de Su Compasivo Corazón, concéntrate en el amor de Tu Propio Hijo y Su dolorosa pasión, que Él soportó por ellos, en lugar de sus errores. Haz que ellos también puedan exaltar tu maravillosa bondad por toda la eternidad. Amén.

Recitemos ahora:
En el nombre del Padre, del Hijo y del Espíritu Santo. Amén.

Rezar la Coronilla de la Divina Misericordia

Día Seis: Bendición a los mansos y a los pequeños

En el nombre del Padre, del Hijo y del Espíritu Santo. Amén.

Mensaje de apertura

"Traed a Mí hoy las almas mansas y humildes, así como las almas de los niños pequeños, y báñalas en Mi bondad. Mi corazón se parece mucho a estas almas. Me dieron fuerza mientras sufría un dolor insoportable. Parecen "Yo soy como ángeles terrenales que custodiarán mis altares. Los colmo de abundantes gracias. Confío en las personas modestas más que en otras".

Meditación

Piensa en los inocentes: los mansos, los humildes y los niños con corazones confiados. Son vasos preciosos que merecen la protección de Dios. Hoy, conviértete en un escudo. Oren por su bienestar y por el atento cuidado de

Dios que los rodee, protegiéndolos del daño y guiándolos a lo largo del viaje de la vida. Implora al Todopoderoso: "Señor, ten piedad de los mansos y pequeños, y concédeles tu amorosa protección".

Sagrada Escritura:"Bienaventurados los mansos, porque ellos heredarán la tierra." Mateo 5:5.

Oración

Jesús, Misericordioso, Tú has afirmado que soy una persona amable y humilde. Aprende de mí. Acepta a todas las almas modestas, gentiles e infantiles en el santuario de Tu Compasidísimo Corazón. Éstas son las almas favorecidas del Padre celestial y exaltan a todo el cielo. Son un ramo fragante ante el trono de Dios, y Dios mismo disfruta de su aroma. Estos espíritus viven por siempre en Tu Compasidísimo Corazón, Jesús, y nunca dejan de cantar un canto de misericordia y de amor.

Padre Eterno, mira con compasión a las almas humildes, a las almas mansas y a los pequeños niños acunados en el santuario del Compasivo Corazón de Jesús. Estos son los que más gustan a tu hijo. Su aroma asciende desde la tierra hasta tu mismo trono. Padre de bondad y misericordia, te suplico por el amor que tienes por estas almas y el gozo que derivas de ellas que bendigas al mundo entero para que todas las almas puedan cantar de tu bondad por toda la eternidad. Amén.

Recitemos ahora:
En el nombre del Padre, del Hijo y del Espíritu Santo. Amén.

Rezar la Coronilla de la Divina Misericordia

Día Siete: Honrando a los misericordiosos seguidores de Jesús

En el nombre del Padre, del Hijo y del Espíritu Santo. Amén.

Mensaje de apertura

"Traedme hoy a las Almas que más honran y reverencian Mi bondad*, y báñalas en Mi bondad. Estas personas más íntimamente conectadas con Mi Alma y afligidas por Mi Pasión. Ellos encarnan Mi Corazón Compasivo en la vida real. Estos "Los espíritus brillarán en el otro mundo con un brillo único. Ninguno de ellos entrará en el fuego del infierno. En la hora de la muerte, defenderé especialmente a todos y cada uno de ellos".

Meditación

Algunos dedican su vida a difundir el mensaje de la Divina Misericordia. Sus voces resuenan con el amor de Dios, ofreciendo consuelo y esperanza a innumerables almas. Hoy, celebre su sólida devoción. Oren por su continuo crecimiento en la fe y para que su luz continúe iluminando el camino de los demás. Ofrece una oración: "En Tu gracia ilimitada, oh Señor, derrama misericordia sobre aquellos que siembran Tu divina compasión, y concédeles fortaleza inquebrantable para perseverar en su sagrado llamamiento".

Sagrada Escritura:"La Biblia dice: "Bienaventurados los misericordiosos, porque ellos recibirán misericordia". Mateo 5:7".

Oración

Las almas de quienes alaban y veneran especialmente la inmensidad de Tu bondad son bienvenidas en la morada de Tu Compasivo Corazón, oh Jesús Misericordioso, cuyo Corazón es el Amor mismo. Estas almas poseen la fuerza misma de Dios, lo que las convierte en seres poderosos. Ellos avanzan ante todas las dificultades y tribulaciones, confiando en tu bondad y, unidos a Ti, oh Jesús, llevan el peso de toda la humanidad. Estos espíritus no enfrentarán un juicio severo; más bien, cuando pasen de este mundo, tu bondad los envolverá.

Padre Eterno, proyecta Tu luz compasiva sobre las almas rodeadas por el Compasidísimo

Corazón de Jesús, glorificando y venerando Tu mayor atributo: Tu insondable bondad.

Estas personas son un ejemplo vivo del evangelio; sus corazones rebosan de placer y sus manos están llenas de actos de bondad mientras cantan un cántico de compasión hacia Ti, ¡oh Altísimo! Dios, te lo imploro.

Según la fe y la confianza que han depositado en ti, muéstrales misericordia. Dejemos que Jesús cumpla su promesa en ellos. Les dijo que protegería, en su gloria, a las almas que reverenciarían esta insondable caridad suya durante toda su vida, pero particularmente en la hora de la muerte. Amén.

Recitemos ahora:
En el nombre del Padre, del Hijo y del Espíritu Santo. Amén.

Rezar la Coronilla de la Divina Misericordia

Día Ocho: Orando por las almas del Purgatorio

En el nombre del Padre, del Hijo y del Espíritu Santo. Amén.

Mensaje de apertura

"Tráeme ahora a los prisioneros del Purgatorio y sumérgelos en las profundidades de Mi piedad. Deja que los ríos embravecidos de mi sangre apaguen sus fuegos humeantes. Adoro mucho a todos estos seres. Se están vengando de mi justicia. Tú tienes la capacidad de aliviar su sufrimiento. Toma todas las indulgencias disponibles en el tesoro de Mi Iglesia y preséntalas en su nombre. ¡Oh, si pudieras imaginar la agonía que soportan! Les darías constantemente la limosna del alma y te acomodarías. su cuenta con Mi justicia."

Meditación

Imagínense almas en proceso de purificación, anhelando la paz del cielo. Están en el umbral, buscando la gracia limpiadora final. Hoy, conviértase en un defensor. Oren por su rápido paso a la vida eterna y por que la misericordia de Dios les conceda la paz y el gozo de su recompensa celestial. Ruega al Señor: "Ten piedad de las almas del purgatorio, Señor, y concédeles un paso rápido a tu reino eterno".

Sagrada Escritura: "Orar por los difuntos, para liberarlos de los pecados, es una noción sagrada y virtuosa." 2 Macabeos 12:46."

Oración

Jesús, Misericordioso, llevo las almas del Purgatorio, almas extremadamente devotas a Ti pero que deben vengarse de Tu justicia, a la morada de Tu Compasivo Corazón, ya que Tú mismo has dicho que buscas misericordia. castigo por tu justicia. Que los fuegos del Purgatorio sean extinguidos por los chorros de sangre y de agua que brotan de Tu corazón, permitiendo que también allí sea glorificado el poder de Tu bondad.

Padre de todos, ten piedad de las almas que sufren en el Purgatorio, atrapadas en el Compasivo Corazón de Jesús. Te imploro que tengas compasión de las almas que están bajo Tu justo examen a la luz de la dolorosa pasión de Tu Hijo Jesús y de todas las amarguras que embargaron Su purísima alma. Sinceramente pensamos que Tu misericordia y compasión no tienen fin; por lo tanto, los miramos exclusivamente a través de las llagas de Jesús, Tu amado Hijo. Amén.

Recitemos ahora:
En el nombre del Padre, del Hijo y del Espíritu Santo. Amén.

Rezar la Coronilla de la Divina Misericordia

Día Nueve: Orando por las Almas Tibias

En el nombre del Padre, del Hijo y del Espíritu Santo. Amén.

Mensaje de apertura

"Convoca a Mí a las almas tibias en este día y sumérgelas en las profundidades de Mi compasión ilimitada. Mi corazón quedó terriblemente herido por estas personas. Fueron las almas tibias en el Huerto de los Olivos las que hicieron que mi alma experimentara el odio más profundo. Angustiado, clamé: "Padre, si es tu voluntad, aparta de mí esta copa", agobiado por su presencia. Lo único que puede salvarlos es huir a Mi compasión".

Meditación

Todos experimentamos momentos en los que la llama de la fe parece parpadear. Quizás las distracciones de la vida hayan atenuado su brillo. Hoy ora por aquellos que experimentan una fe tibia, incluido tú mismo. Ruega a Dios que reavive el fuego de la devoción y reavive la pasión por una vida transformada por su misericordia. Ora fervientemente: "Ten piedad de los de fe tibia, Señor, y reaviva la llama de tu amor en sus corazones".

Sagrada Escritura: "Como tu temperatura es tibia, ni ferviente ni fría, estoy listo para expulsarte de en medio de mí, tal como se menciona en Apocalipsis 3:16".

Oración

Jesús, eres la encarnación de la compasión. Envío espíritus fríos a la casa de tu bondadoso corazón. Deja que el fuego de Tu perfecto amor encienda estas almas tibias que una vez Te llenaron de tan profundo desprecio como cadáveres. Nada está más allá de tu poder, oh Jesús Compasivo. Usa tu omnipotencia para mostrarles tu amor y atraerlos a su intensa pasión. Dales el regalo del amor puro.

Padre Eterno, ilumina los corazones apáticos con la gracia del Compasivo Corazón de Jesús. Padre de bondad, te imploro a través de la pasión agotadora de tu Hijo y de sus tres horas de angustia en la Cruz: concede que también ellos exalten las profundidades de tu bondad. Amén.

Recitemos ahora:
En el nombre del Padre, del Hijo y del Espíritu Santo. Amén.

Rezar la Coronilla de la Divina Misericordia

La Coronilla de la Divina Misericordia

(Santa FaustinaKowalska's diario, 1319)

En el nombre del Padre, del Hijo y del Espíritu Santo. Amén.

Oraciones iniciales
Jesús, aunque estás herido de muerte, el océano de la misericordia se abrió para todos los habitantes del planeta y la fuente de la vida fluyó para las almas.
Oh Fuente de Vida, incomprensible Misericordia Divina, derrama sobre nosotros tu plenitud y cubre todo el planeta.

Repetir: tres veces.
¡Pongo mi confianza en ti, oh Agua y Sangre que brotaste del corazón de Jesús para proporcionarnos manantial de misericordia!

Nuestro Padre Celestial, que estás en los
cielos...
Dios te salve, María, abundante en gracia,
porque el Señor está a tu lado.

El Credo de los Apóstoles

Creo firmemente en Dios Padre, que hizo los
cielos y la tierra, y en Jesucristo, su único Hijo,
nuestro Señor. Nació de la Virgen María,
soportó bajo Poncio Pilato, pereció en una cruz
y fue sepultado; posteriormente, descendió al
abismo, resucitando después de tres días.
Jesús subió al cielo y ahora se sienta junto al
gran poder de Dios. Desde allí volverá para
juzgar tanto a los vivos como a los muertos.
Creo firmemente en la existencia del Espíritu
Santo, la comunión de los santos, el perdón de
los pecados, la resurrección corporal y la
promesa de la vida eterna.
Amén.

A lo largo de cada una de las cinco décadas

Oración: V. Padre Eterno, te ofrezco el cuerpo y
la sangre, el alma y la divinidad de tu amado
Hijo, nuestro Señor Jesucristo,

R., como expiación por nuestros pecados y los pecados del mundo entero, en cada cuenta del rosario "Padre Nuestro".

Por la causa de su dolorosa pasión,

V. ten piedad de nosotros y del mundo entero,

R. en cada una de las diez cuentas del "Ave María".

Concluir

Repetir: tres veces más

Por favor, ten piedad de nosotros y del planeta entero, Santo Dios, Santo Fuerte, Santo Inmortal.

Oración final

Dios Todopoderoso, cuya misericordia no tiene límites y cuya reserva de compasión es ilimitada,tener ten piedad de nosotros y extiéndela más hacia nosotros para que, en medio de la adversidad, no desmayemos ni nos desanimemos, sino que nos entreguemos con confianza a tu santa voluntad, que es el amor y la misericordia misma. Amén.

Letanías de la Divina Misericordia

(El Diario de Santa Faustina Kowalska)

La Divina Misericordia mana abundantemente del seno del Padre,

Tengo fe en ti.

La misericordia divina es la mayor cualidad de Dios.

Tengo fe en ti.

Bondad divina, misterio insondable,

Tengo fe en ti.

Divina Misericordia, manantial que brota del misterio de la Santísima Trinidad,

Tengo fe en ti.

La Misericordia Divina es insondable para la inteligencia humana o celestial.

Tengo fe en ti.

La misericordia divina es la fuente de toda vida y felicidad.

Tengo fe en ti.

Mejor que los cielos, divina misericordia

Tengo fe en ti.

La Divina Misericordia es fuente de maravillas y milagros.

Tengo fe en ti.

Misericordia Divina, que impregna el cosmos,

Tengo fe en ti.

Bondad Todopoderosa, viniendo a la tierra como Verbo Encarnado,

Tengo fe en ti.

La Divina Misericordia que brotó de la herida abierta de Jesús en su corazón,

Tengo fe en ti.

Misericordia Divina, contenida en el corazón de Jesús para nosotros, particularmente para los pecadores,

Tengo fe en ti.

La Divina Misericordia sentó las bases de la Santa Iglesia.

Tengo fe en ti.

La misericordia divina está en el sacramento del santo bautismo.

Tengo fe en ti.

Gracia Todopoderosa, en nuestra redención por medio de Jesucristo,

Tengo fe en ti.

Divina Misericordia, que nunca te has apartado de nuestro lado durante nuestra vida,

Tengo fe en ti.

Bondad todopoderosa, que nos envuelve especialmente en nuestros momentos finales,

Tengo fe en ti.

Divina Misericordia, que nos has dado vida
eterna,

Tengo fe en ti.

Divina Misericordia, que está con nosotros
siempre, dondequiera que vayamos,

Tengo fe en ti.

Divina Misericordia, manteniéndonos a salvo
del fuego del infierno,

Tengo fe en ti.

La Divina Misericordia está en proceso de
convertir a los pecadores obstinados.

Tengo fe en ti.

Misericordia Divina, más allá de la comprensión
de los santos y un asombro para los ángeles,

Tengo fe en ti.

La Divina Misericordia está más allá de la
comprensión en todos los secretos de Dios,

Tengo fe en ti.

Divina Misericordia, que nos libra de todo
sufrimiento,

Tengo fe en ti.

Divina Misericordia, nuestra alegría y
contentamiento.

Tengo fe en ti.

Cuando la misericordia divina nos saca del
vacío y nos saca al ser,

Tengo fe en ti.

Misericordia permanente, que cubre todo lo
que sus manos han creado,

Tengo fe en ti.

Santa Misericordia, pináculo de todo lo que
Dios ha creado,

Tengo fe en ti.

La Divina Misericordia que nos envuelve a
todos,

Tengo fe en ti.

Divina Misericordia, un maravilloso consuelo para las almas heridas

Tengo fe en ti.

La Divina Misericordia, el último recurso para las almas desesperadas

Tengo fe en ti.

Misericordia divina, corazones en reposo, serenidad en medio del terror,

Tengo fe en ti.

Divina Misericordia, alegría y arrobamiento de las almas celestiales,

Tengo fe en ti.

Misericordia Divina, que da esperanza ante toda esperanza,

Tengo fe en ti.

Ahora oremos:

Dios Todopoderoso, cuya misericordia no tiene límites y cuya reserva de compasión es ilimitada,tener ten piedad de nosotros y extiende tu bondad hacia nosotros para que, en medio de la adversidad, no nos rindamos ni nos desanimemos, sino que nos entreguemos con confianza a tu santa voluntad, que es el amor y la misericordia misma.

Conclusión

Al dejar este libro, el eco de la Divina Misericordia persiste: un estribillo de perdón y esperanza que ha cambiado para siempre la sintonía de tu alma. Los nueve días de oración no fueron un mero ritual sino un proceso de renovación, tan suave y constante como pinceladas sobre la superficie de una pintura. Quizás se haya sanado un distanciamiento o se haya quitado una carga. Independientemente de la transformación, es un testimonio de la maravilla de la fe y la gracia inconmensurable de nuestro benevolente Creador.

Pero recuerda, esta expedición no termina aquí. Piense en esta novena como un trampolín, un punto de partida hacia una conexión más profunda con la Divina Misericordia. Las tormentas de la vida pueden regresar, susurrando dudas y ansiedades. Pero dentro de ti reside la fuerza cultivada durante estos nueve días. Cuando las sombras amenacen con engullirte, regresa a la Coronilla de la Divina Misericordia, las Letanías y las oraciones que tanto aprecias.

Imagínate rodeado por la luz radiante de la misericordia de Dios. Siente cómo el calor se filtra en tus huesos, eliminando el miedo y la negatividad. Recuerde, el amor de Dios no es un recurso finito; es una fuente infinita, siempre fluyendo y siempre abundante. Continúe rezando la novena, no sólo por usted mismo sino por sus seres queridos, por aquellos que luchan e incluso por aquellos que parecen estar lejos de la gracia de Dios.

Deja que cada oración sea un puente que te conecte a ti y a quienes te rodean con la compasión ilimitada del cielo. Recuerde, Dios escucha todas las oraciones, grandes y pequeñas, dichas con un corazón contrito. Así que mantén viva la llama de la fe y permite que la Divina Misericordia te guíe en tu camino hacia la plenitud, el perdón y un amor que trasciende todo entendimiento.

Made in United States
Troutdale, OR
03/29/2024

18826265R00050